ISBN 978-2-211-20650-1

© 2011, l'école des loisirs, pour la présente édition
dans la collection « Kilimax »
© 1982, l'école des loisirs, Paris
Loi numéro 49 956 du 16 juillet 1949 sur les publications
destinées à la jeunesse : octobre 1982
Dépôt légal : novembre 2011
Imprimé en France par Pollina à Luçon

Michel Gay

LAPIN-EXPRESS

l'école des loisirs
11, rue de Sèvres, Paris 6ᵉ

Tout a commencé par ce colis que m'apporte un matin le facteur.
Il y a une petite lettre avec : « Mon cher Pat, je te donne mes patins à roulettes.
C'est grâce à eux que j'ai rencontré ta Grand-Mère !
Signé : Grand-Père »

À peine je les ai aux pieds, je perds l'équilibre…

et *Plouf*! Il va falloir que j'apprenne à freiner !
Je remonte sur la terre ferme, mais ici, il y a trop de cailloux et trop de trous :
ça ne roule pas bien du tout.

Sur l'herbe, ça ne va pas non plus. Je suis carrément coincé.
Mais alors, où est-ce que je vais patiner ?
En regardant passer un train, j'ai une idée : sur la voie ferrée !

Mais je suis obligé de faire le grand écart pour que mes patins touchent les rails !

Il paraît que les trains qui passent dans cette gare vont à Paris…
Je monte. Le train est presque vide. Il se remet en marche et roule longtemps…

Longtemps… longtemps… Lorsque j'arrive à Paris, il fait nuit.

Comme le sol est lisse par ici ! Qu'est-ce que ça roule bien !

Tiens, encore une belle piste !

Enfin je peux patiner ! Je vais tellement vite que j'ai l'impression de glisser !

Je parcours la ville par toutes sortes de passages, étroits ou larges.
J'arrive à faire des figures de plus en plus difficiles.

L'avion… Le slalom arrière…
Je deviens un champion du patin à roulettes !

Sur une jolie place, je me repose sur un banc. Mais soudain…

J'entends le son d'une flûte. D'où vient cette musique ?

Sur la fontaine, quelqu'un avec une casquette joue de la flûte. En m'approchant, je vois une jolie minette. Elle continue à jouer sans me regarder. Elle n'a pas de casquette mais de très jolies petites oreilles de musicienne. Et c'est comme ça que je rencontre la Mine ! Elle est d'accord pour qu'on joue tous les deux.

Je lui passe un de mes patins.
On descend dans le bassin de la
fontaine. Comme il est vide, on patine
dedans en essayant de se rattraper, tout en
musique. On se sent seuls au monde et très heureux.

Mais ici, il y a des gens qui voudraient dormir.
Furieux, ils nous jettent tout ce qui leur tombe sous la main.

« Vite, allons-nous-en ! » dit la Mine en m'entraînant dans les petites rues.
Paris se réveille. On entend des sirènes de police.

Par un grand virage en descente, on disparaît dans un parking.

Il fait noir. La seule lumière qu'on voit vient de l'ascenseur.
On fait comme tout le monde pour ne pas se faire remarquer.

Quand les portes de l'ascenseur s'ouvrent, c'est la bousculade.
La foule nous sépare. Je crie : «La Mine ! La Mine !»
Elle me répond : «Pat ! Je suis là !»
J'entends sa voix, mais je ne la vois plus.

Sans comprendre comment, je me retrouve dans un métro.
Les portes se ferment. La Mine, où es-tu ?

Puis la foule m'entraîne sur un escalator. Je reconnais la gare où je suis arrivé.

Les gens courent pour attraper le train et me bousculent. Mais par-dessous
le wagon, je vois… oui, la Mine ! Elle court sur le quai d'à côté…

Je traverse le train pour l'appeler, mais le quai est vide. Où est-elle passée ?
Peut-être qu'elle m'a vu et qu'elle est montée dans le train, elle aussi…
Je regarde dans tous les wagons : pas de Mine ! Un haut-parleur annonce le départ
du train, mais un gros bonhomme m'empêche de sortir. Trop tard !

Le train file vers la campagne. J'ai peur de ne jamais revoir la Mine.
À ce moment, je suis très triste.

Dans les virages, on voit tous les wagons du train. Tout à coup,
derrière une fenêtre, j'aperçois une silhouette grise avec deux oreilles.
Je me précipite pour la rejoindre…

Pourvu que ce soit elle ! Mais non, c'est un contrôleur, avec une vraie casquette.
Il me barre la route, il n'a pas du tout l'air content. « Hé toi, le lapin ! Viens ici ! »
Je m'enfuis en laissant tomber mon patin.

Le contrôleur me poursuit. Il glisse sur le patin, fait une grande pirouette
et se rattrape à la poignée de la sonnette d'alarme.
Un terrible grincement m'emplit les oreilles. C'est le train qui freine !

Il s'est arrêté au milieu d'un pont, très haut.
Je reconnais ma rivière tout en bas, et, sans réfléchir, je saute.
Je pense à la Mine. J'ai l'impression de l'avoir abandonnée !

Derrière moi, j'entends un gros *Plouf*! Je me retourne et je vois
le sourire mouillé de la Mine! C'était bien elle que j'avais vue
dans le train, et elle n'a pas eu peur de sauter pour me suivre!

On s'est laissé porter par le courant de la rivière, en se tenant la main.
Et j'ai pensé : «Merci Grand-Père… Tu m'as fait un beau cadeau
avec tes patins.»